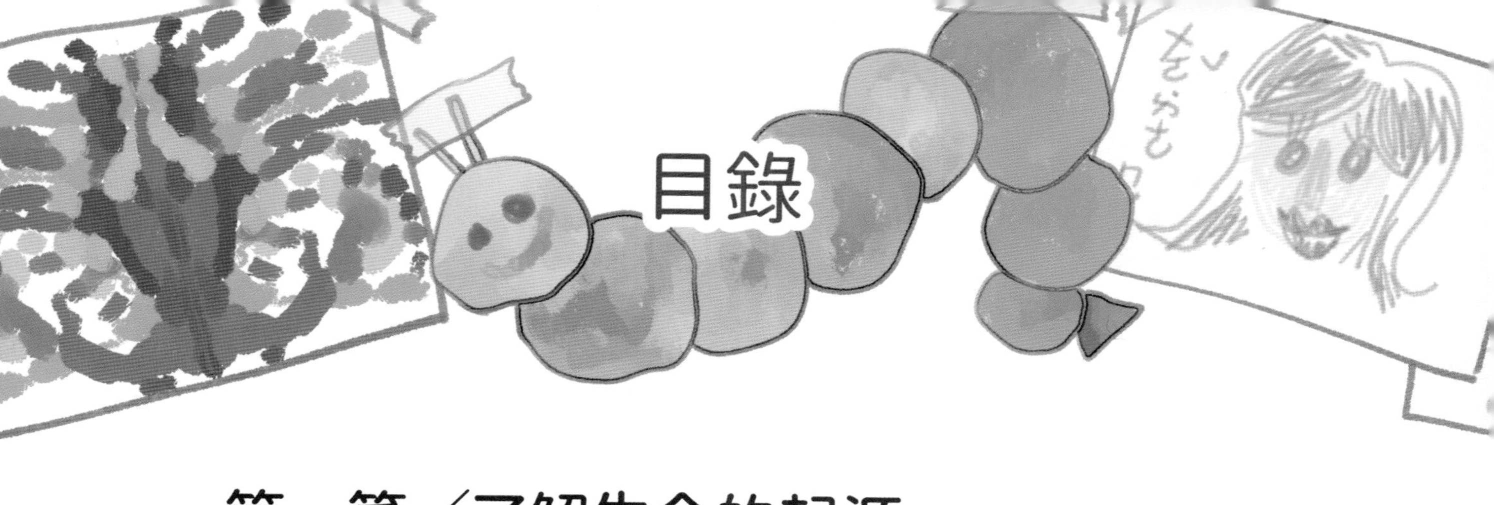

第一篇／了解生命的起源

第二篇／認識身體

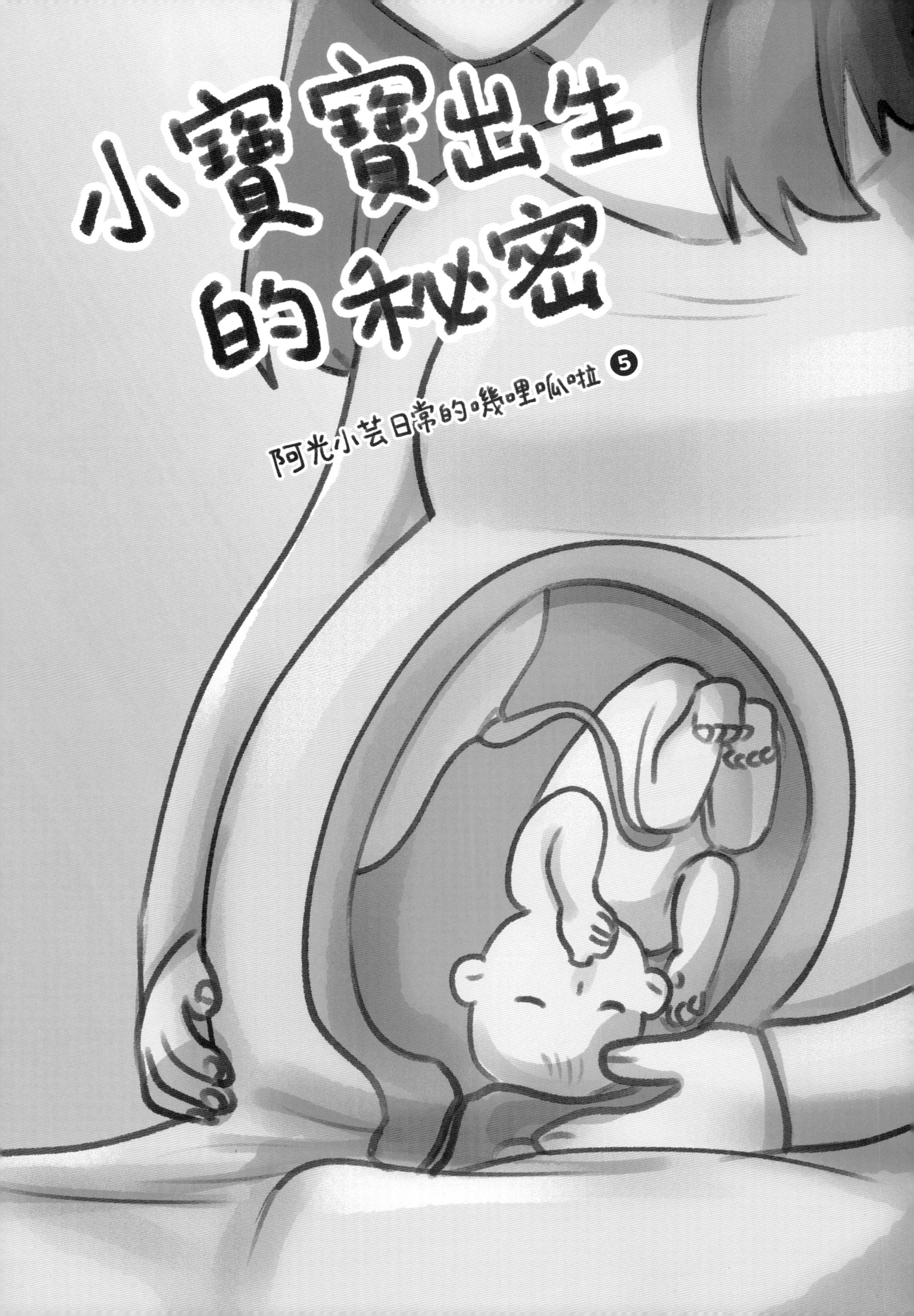
小寶寶出生的秘密
阿光小芸日常的嘰哩呱啦 5

❶小寶寶怎麼出生的呢？

小寶寶住在媽媽肚子的子宮裡，一般來說是九個月。小寶寶準備要從媽媽的身體出來時，媽媽的身體可能會有三種反應。包含，媽媽感覺到規律陣痛，也就是子宮開始規律收縮，或媽媽在內褲上發現紅色的黏液，或羊水流出。這些身體訊號都在通知媽媽小寶寶要出生囉！

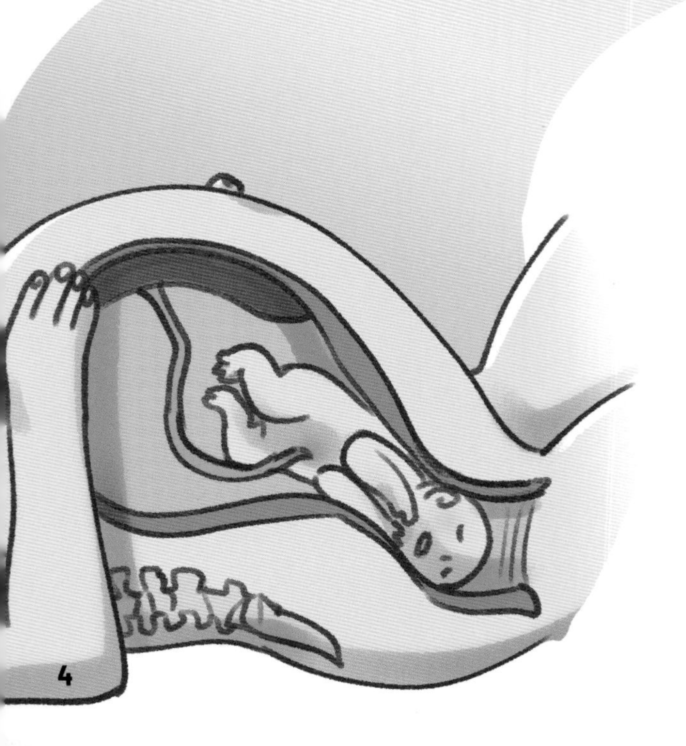

媽媽就會開始準備要去醫院生小寶寶。或者，有些媽媽選擇在家生產，此時，助產師就會來幫忙一起迎接小寶寶。通常，小寶寶要出生的時候，他的頭是朝下的，媽媽經由子宮收縮以及用盡全身的力氣把小寶寶從產道，也就是陰道推擠出來，這個過程叫做「自然產」。

有些小寶寶出生的方式，是醫生在媽媽的下腹部子宮的位置，施行手術，用剖腹的方式從肚子裡直接把小寶寶取出來，這些情況有許多的原因，其中一個原因可能是小寶寶不是頭下腳在上的方向。

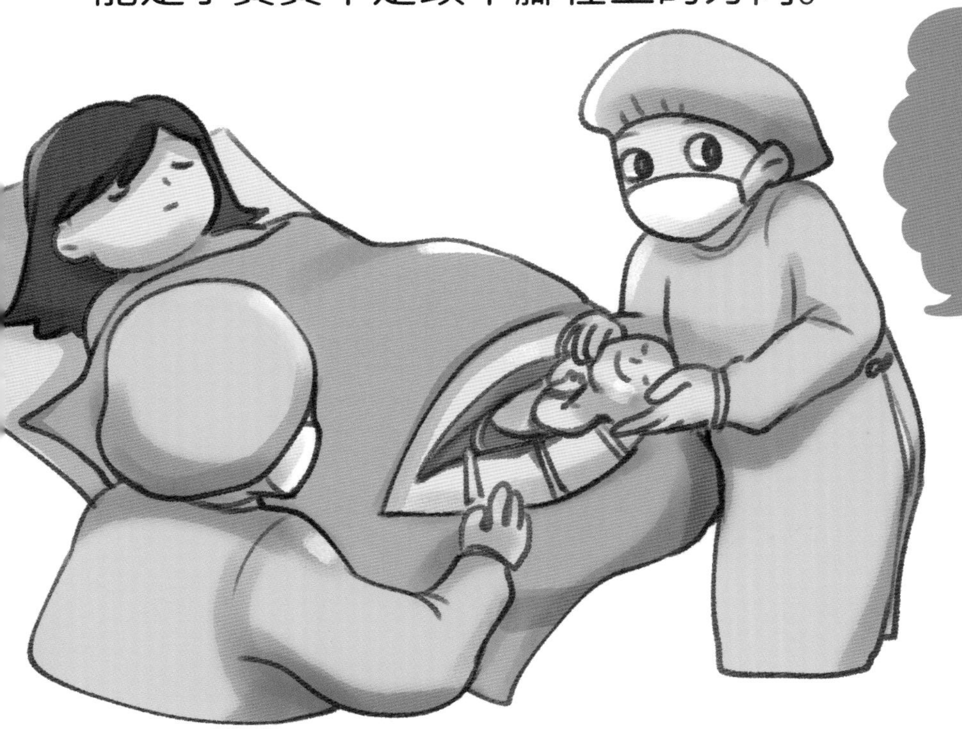

別擔心，醫生會幫媽媽打麻醉針，媽媽不會感覺到疼痛，這個過程就是「剖腹產」。

不論是自然產，或是剖腹產，出生的小寶寶臍帶會跟媽媽連在一起。大部分的時候，是由醫生剪斷臍帶，有的時候是爸爸媽媽剪斷的。最後，留在寶寶身上的臍帶會乾掉脫落下來，臍帶掉下來的地方，就是你的肚臍。

補充知識

小寶寶在媽媽肚子裡，媽媽是透過臍帶，將養份以及呼吸所需要的氧氣輸送給小寶寶，讓小寶寶得到足夠的營養。

羊水是在子宮內，包覆著小寶寶的水狀液體。羊水能保護小寶寶的安全，避免因為碰撞或擠壓而讓小寶寶受傷，並且提供小寶寶有一個像游泳池一樣的空間。可以自由活動。羊水同時也維持子宮內適合小寶寶成長的溫度。

❷小寶寶出生之前住在哪裡？

媽媽的身體裡，有一個女生才有的器官，叫「子宮」，位置是在肚臍下方的身體裡面，這是小寶寶出生前住的地方。

成年女生的子宮大概是大人的半個拳頭大。

一個月
大腦開始發育。

兩個月
心臟開始發育，可以測到心跳。

三個月
從胚胎變成胎兒，眼耳明顯看得到，外手指手掌緊握，看到腳趾頭。

四個月
四肢發展，手指甲長好。視覺開始發展，感覺得到光。可辨識生殖器官。

五個月
聽覺發展，聽得到聲音，吸手指頭，長出頭髮，活動力愈來愈大，媽媽感覺得到。

六個月
胎動頻繁。

這麼小的一個器官，怎麼裝得下小寶寶呢？

子宮

當小寶寶還是受精卵，住在我裡面的時候，其實比一顆芝麻還小。我是很有彈性的器官，懷孕的過程中，我會隨著小寶寶長大而跟著被撐大。媽媽生完小孩後，我又會縮回一個拳頭的大小。

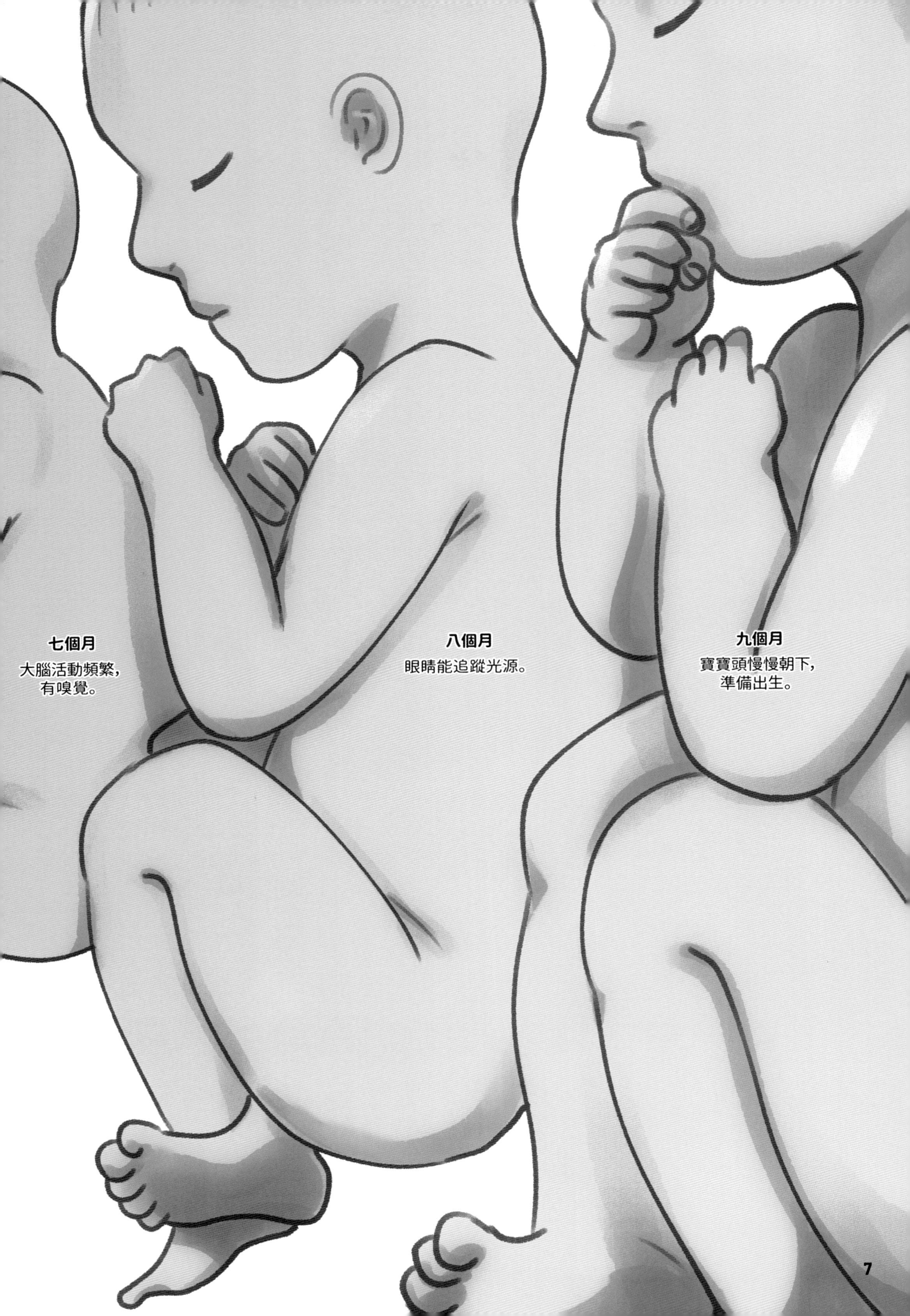
七個月
大腦活動頻繁，
有嗅覺。
八個月
眼睛能追蹤光源。
九個月
寶寶頭慢慢朝下，
準備出生。

補充知識

產檢

在台灣，大部分的媽媽懷孕時，都會到婦產科，由婦產科醫生對孕婦進行產檢。大多數由醫生使用超音波儀器檢查小寶寶，並將小寶寶的生長狀況及媽媽體重紀錄在媽媽手冊上。超音波儀器可以留下小寶寶的影像，說不定家裡現在還有你在媽媽肚子中的超音波照片呢！

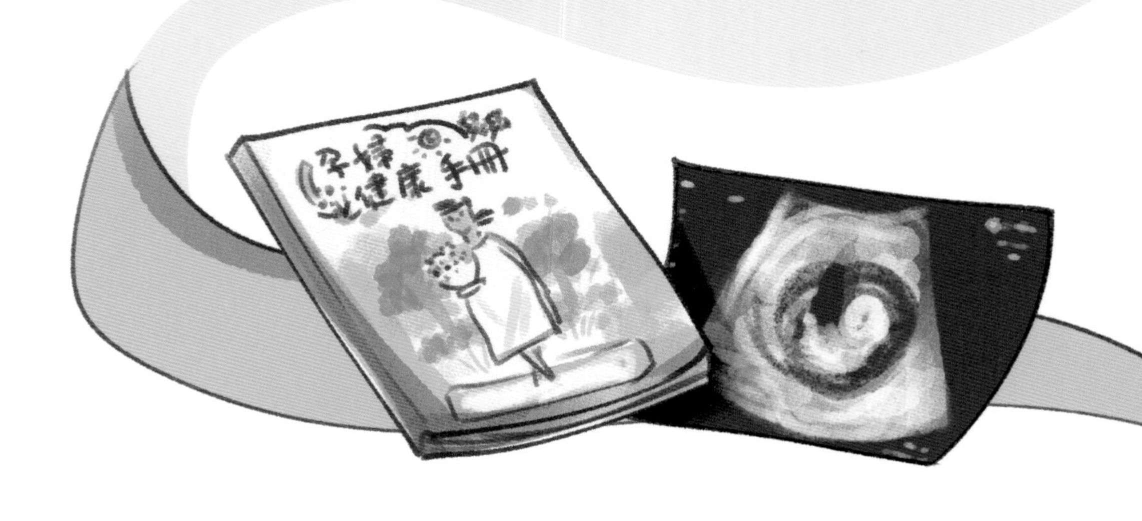

流產

有些小寶寶並無法在媽媽肚子裡順利長大，當小寶寶不健康，可能因為發展異常、染色體缺損或子宮病變等原因，胚胎或胎兒在子宮內自然死亡，由子宮內排出體外，叫做「自然流產」。

也可能是媽媽產檢時，醫生發現胎兒不健康、異常。醫生會跟爸爸、媽媽討論決定不要留下胚胎或胎兒，有可能會決定以藥物或是手術方式，讓胎兒離開子宮稱之為「人工流產」。

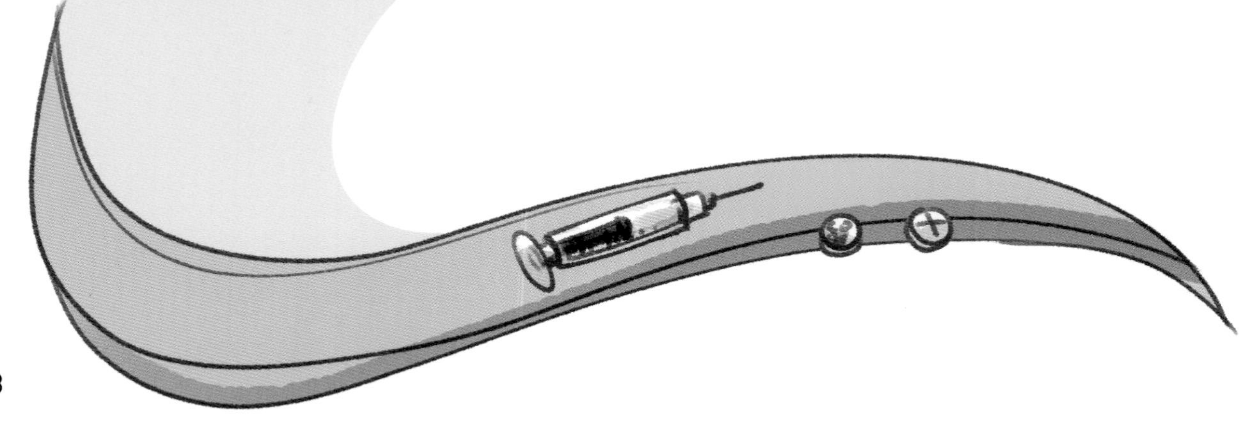

❸小寶寶怎麼進去媽媽肚子裡呢？

男人（爸爸）身體裡有睪丸，睪丸裡有成熟的精子，形狀像小蝌蚪。女人（媽媽）的身體裡有卵巢，負責製造卵子。精子與卵子結合，就變成受精卵，受精卵長大就會變成小寶寶。

當陰莖進入陰道，一群精子從尿道口出來，游動一段距離，經過陰道、子宮頸、子宮，進入到輸卵管。終於，精子在輸卵管與卵子相遇，卵子也會釋放化學物質篩選與吸引其中一個精子，結合成受精卵。受精卵會游動到子宮著床成為胚胎，生命就開始了。

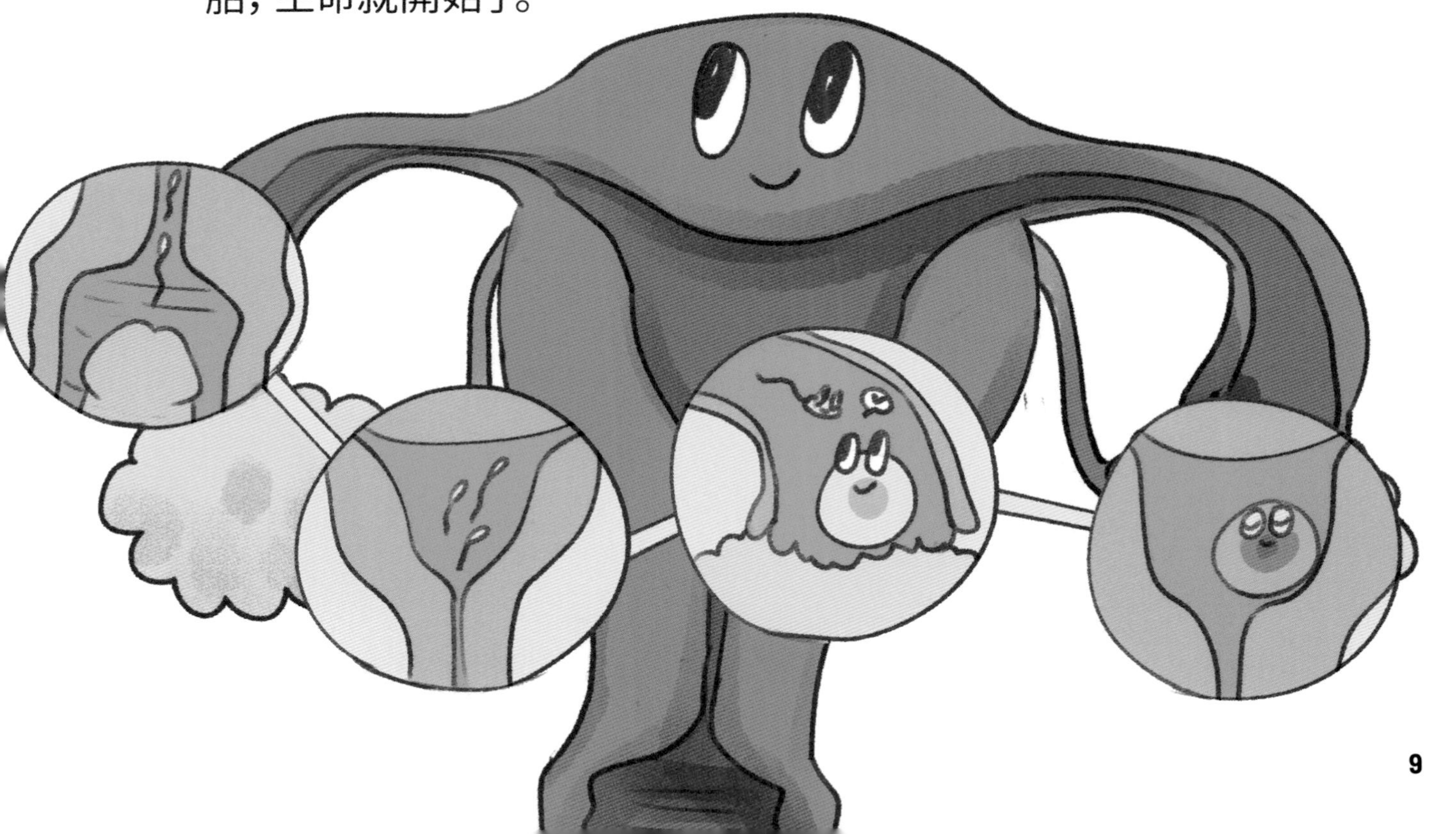

陰莖進入陰道，這是一種性行為。性行為發生，有可能會懷孕，因此，如果沒有計畫生小寶寶的話，就要採取避免懷孕的措施。

補充知識

保險套

大部分的人最常選擇使用保險套以進行較安全性行為。那什麼是保險套呢？當男人女人發生性行為，但沒有準備生寶寶時，保險套可以套在勃起的陰莖上，精子會被裝在保險套裡面，無法進入陰道與卵子相遇。

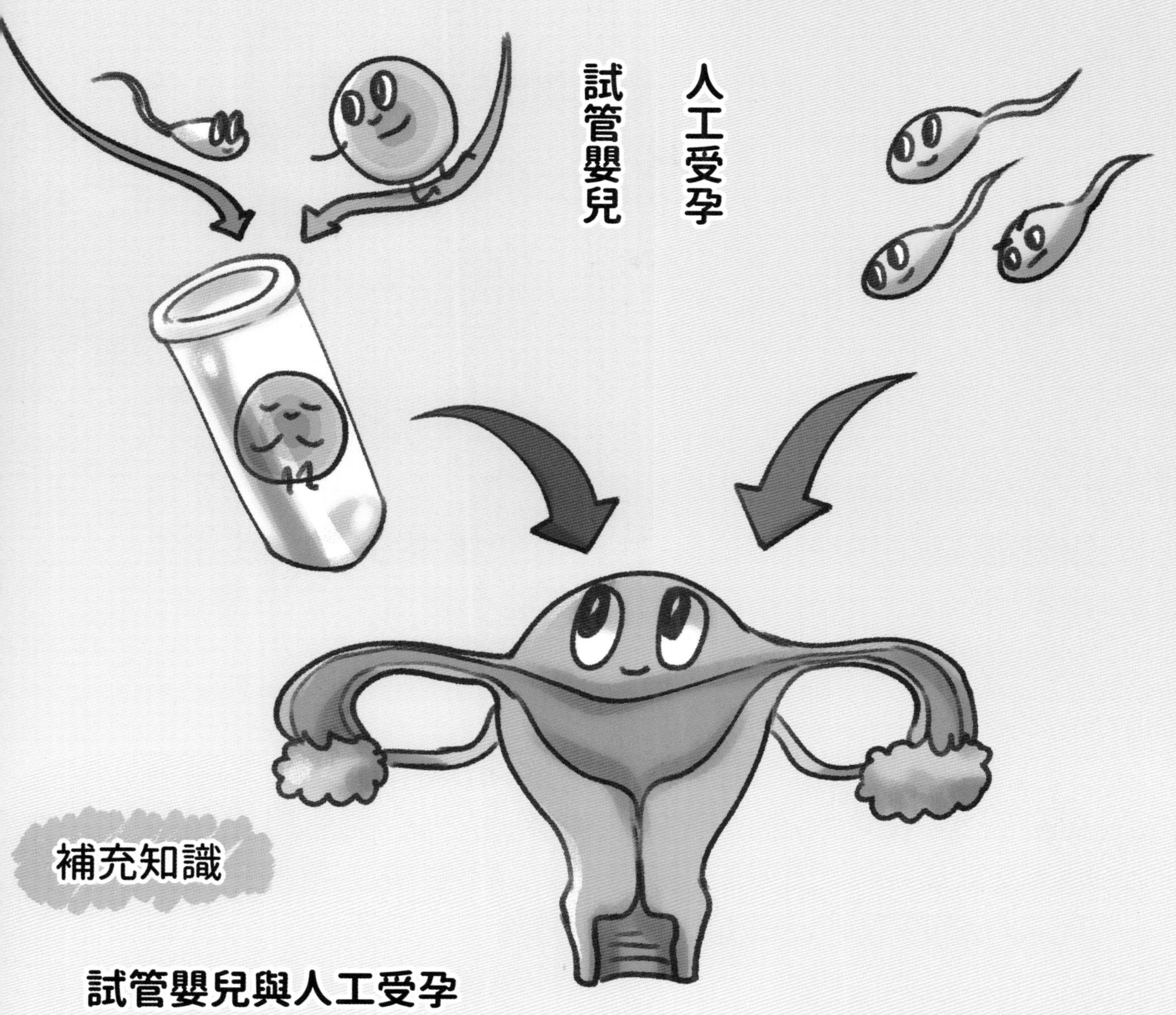

補充知識

試管嬰兒與人工受孕

有時候,精子與卵子,無法自然的在輸卵管內結合,這時就需要幫忙。其中一種方式是在試管裡讓精子跟卵子結合,另一種是用人工的方式,幫忙精子與卵子在媽媽體內受孕。

試管嬰兒

媽媽要先打排卵針,讓卵子排出夠多的數量,由醫生取出卵子。接著,把爸爸身體取出的精子,再跟卵子一起放進試管裡幫助它們結合受精卵。然後,將受精卵放回媽媽的子宮,增加著床與懷孕的機會。

人工受孕

媽媽要先服用排卵藥物或打排卵針,讓卵子排出夠多的數量。接著,把爸爸身體取出的精子送入媽媽的子宮,精子會到輸卵管找到卵子結合,成為受精卵,增加著床與懷孕的機會。

❹小寶寶的出生地點在哪裡？

大部分的小寶寶是在醫院出生，由婦產科醫生及護理師幫忙接生。但是，也有爸爸媽媽決定在家裡生小孩。他們會把家裡佈置成為迎接小寶寶到來的環境，並由助產士幫忙，在家裡將小寶寶生出來的。

不過，如果小寶寶太想趕快來到世界上，也是有可能在爸爸媽媽還沒準備好的狀況下，小寶寶就出生。所以，曾經有小寶寶在救護車上、計程車上就出生了，也有小寶寶是由消防員接生的喔！

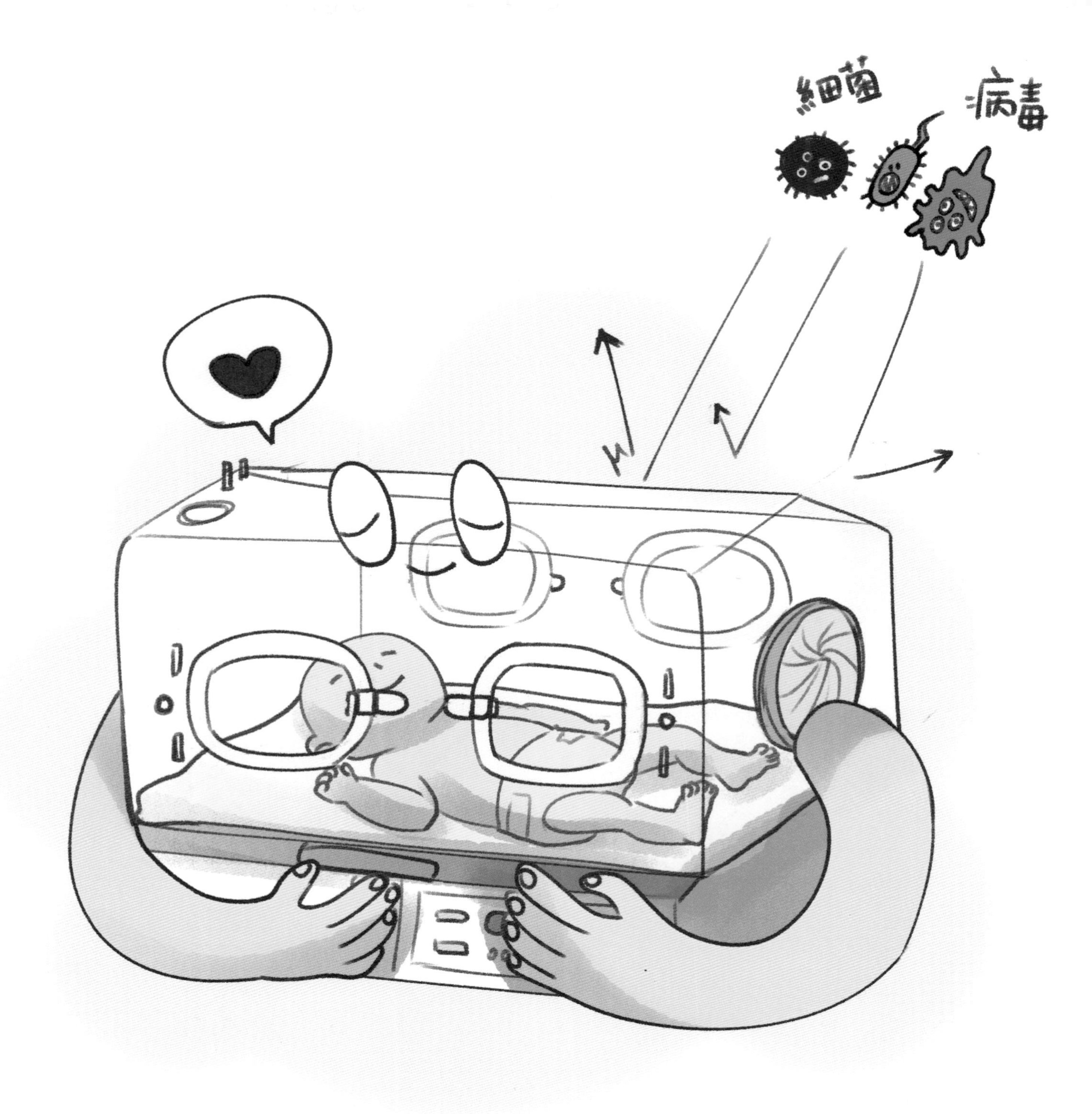

如果小寶寶在媽媽肚子裡的時間沒有待滿 37 個禮拜，或是體重不到 2500 公克的話，就是早產。早產的寶寶會由醫生判斷是不是需要住在醫院的保溫箱裡一陣子，等到寶寶長夠大夠健康，再離開保溫箱。保溫箱可以提供最適當溫度的環境，讓小寶寶生長與發育，也隔絕外面的病菌，保護小寶寶的健康。

❺小寶寶出生後與媽媽的生活情況？

坐月子

小寶寶出生後，媽媽會需要好好休息一陣子。在台灣，會有「坐月子」的習慣，就是在生產後第一個月，媽媽透過吃營養的食物及多多休息來補強身體。但，在其他國家，例如，歐美國家，並沒有坐月子的習慣。

餵母乳、配方奶

小寶寶出生時是沒有牙齒的，無法咀嚼食物，加上胃的功能還無法消化固體食物。因此，有的小寶寶是喝媽媽的奶，稱之為「母乳」；有的小寶寶是喝沖泡水的嬰兒奶粉，稱之為「配方奶」，配方奶原料可能是牛奶、羊奶或者是植物奶。

抱小孩

剛出生的小寶寶脖子的肌肉還沒有變得夠強壯到可以支撐頭部，所以，抱寶寶的時候，大人的手，會需要放在小寶寶的脖子後面幫忙支撐。

睡眠

小寶寶需要很多睡覺的時間，剛出生的小寶寶一天要睡 15-16 個小時喔！小寶寶剛出生的時候，會睡睡醒醒的，一整天的睡眠分成三四段睡，是很常見的。隨著小寶寶長大，睡眠時間會變成晚上睡得多一點，白天睡得少一些。到了一歲左右的孩子，大概平均的睡眠時間是 10-12 小時，白天的睡眠時間大概是 1-2 個小時。

剛出生的小寶寶大部分的時間是躺著的，漸漸地，隨著骨骼與肌肉的發展，小寶寶身體可以活動的範圍就變大了。

小寶寶在趴著的時候，頭可以稍微抬起。

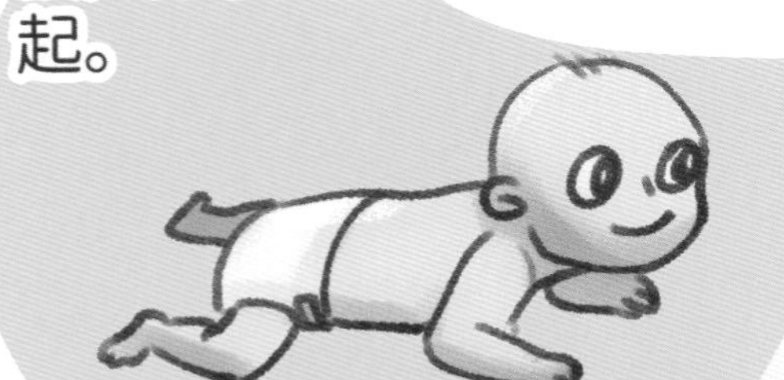

慢慢的，可以坐起身子。

之後小寶寶可以運用手腳爬來爬去，然後，扶著桌緣、牆壁站起來。

當小寶寶站起來後，腳的力量穩定一些，小寶寶就會慢慢開始練習走路了。

有一句台灣話的諺語「七坐、八爬、九發牙。」就是在描述小寶寶長大的過程，指小寶寶七個月的時候會坐，八個月會爬，九個月的時候會長牙，一歲左右就會走路。

不過啊，每個小寶寶都有自己長大的速度，也是有小寶寶到了一歲半才會走路的。

❻什麼是「收養（領養）」與「寄養」？

收養又稱做領養，是指非血親的父母和孩子，經過法律認可的過程，建立親子關係，這會讓需要照顧的小孩得到一個永久的家，成為收養父母的小孩。政府會幫孩子挑選有能力提供「愛」與「生活照顧」的收養家庭，期望孩子可以快樂健康長大。

寄養是指，當家裡的人因為一些原因沒有辦法好好照顧小孩的時候，社會局社工會幫小孩找一個暫時性的家，稱為寄養家庭。寄養父母會先幫忙照顧小孩的生活起居以及關心他的心情，等到親生父母，也就是他原本的爸爸媽媽或其他家人有能力照顧時，再把孩子接回家照顧。

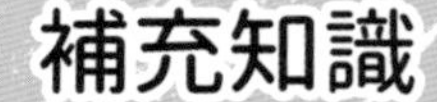

補充知識

小動物「認養」

各縣市動物保護處或是流浪動物之家，會把路上的流浪貓、流浪狗、流浪動物集中暫時照顧。讓大家知道可以來認養這些小動物，讓民眾帶回家好好照顧。

第二篇／認識身體

❶女性的生殖器官

無論是女性或是男性，都有分「外生殖器」與「內生殖器」。女性的外生殖器是陰部，包含，大陰唇、小陰唇、陰蒂、尿道口、陰道口。女性的外生殖器比較不容易看見，女生可以拿著鏡子在兩腿間，幫助自己認識陰蒂、大陰唇、小陰唇、陰道口。

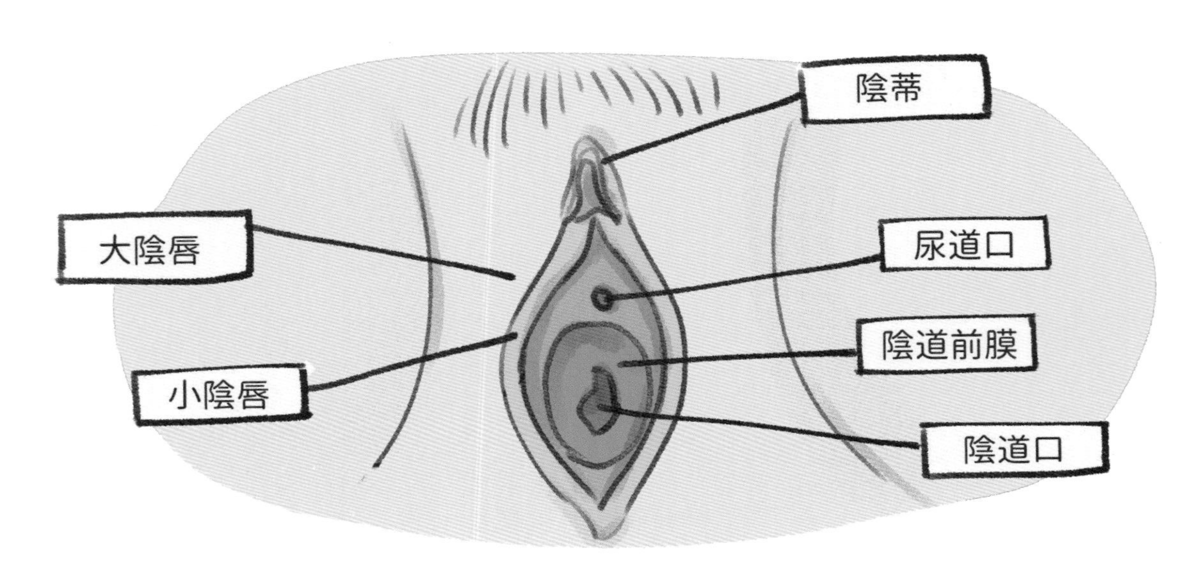

內生殖器有外表看不到的陰道、子宮頸、子宮、輸卵管及卵巢。

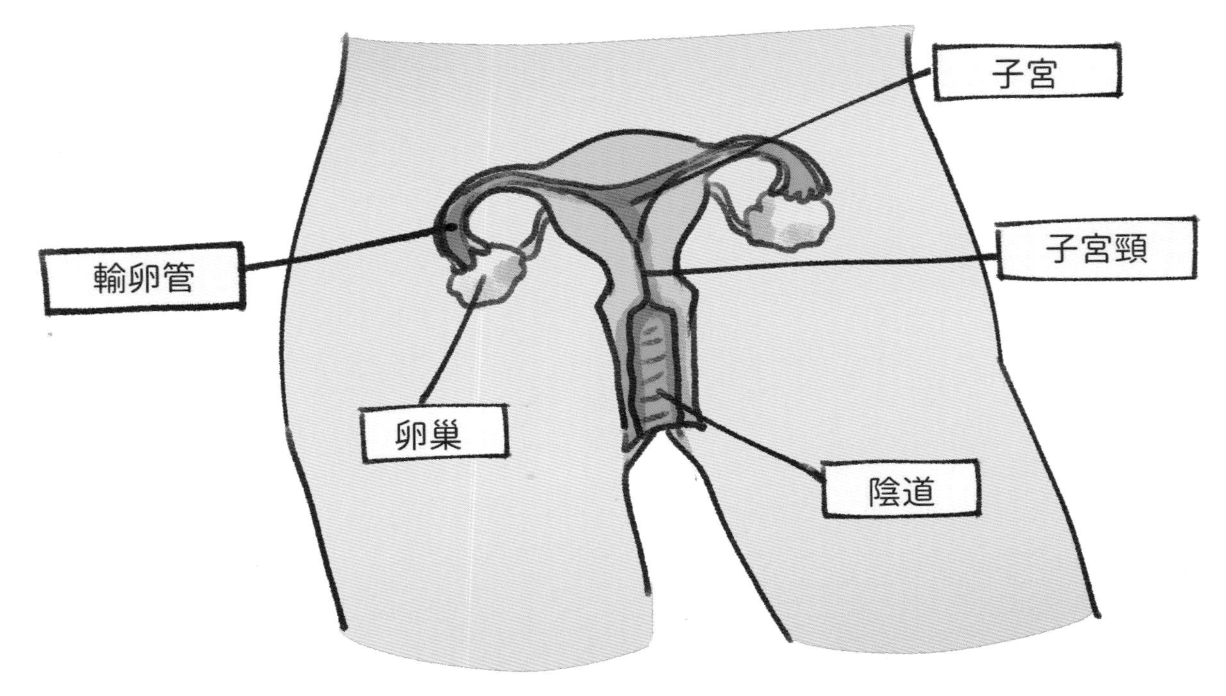

❷男性的生殖器官

男性的外生殖器是陰莖和陰囊，陰莖最前端部分叫龜頭，有包皮保護著。陰莖裡面有像海綿般的構造，有些人起床時，會發現陰莖變硬，這叫做「勃起」，因為海綿體充滿血，而變大、變硬。當血液再度流回身體後，陰莖就會變小、變軟，這是很自然的生理現象。

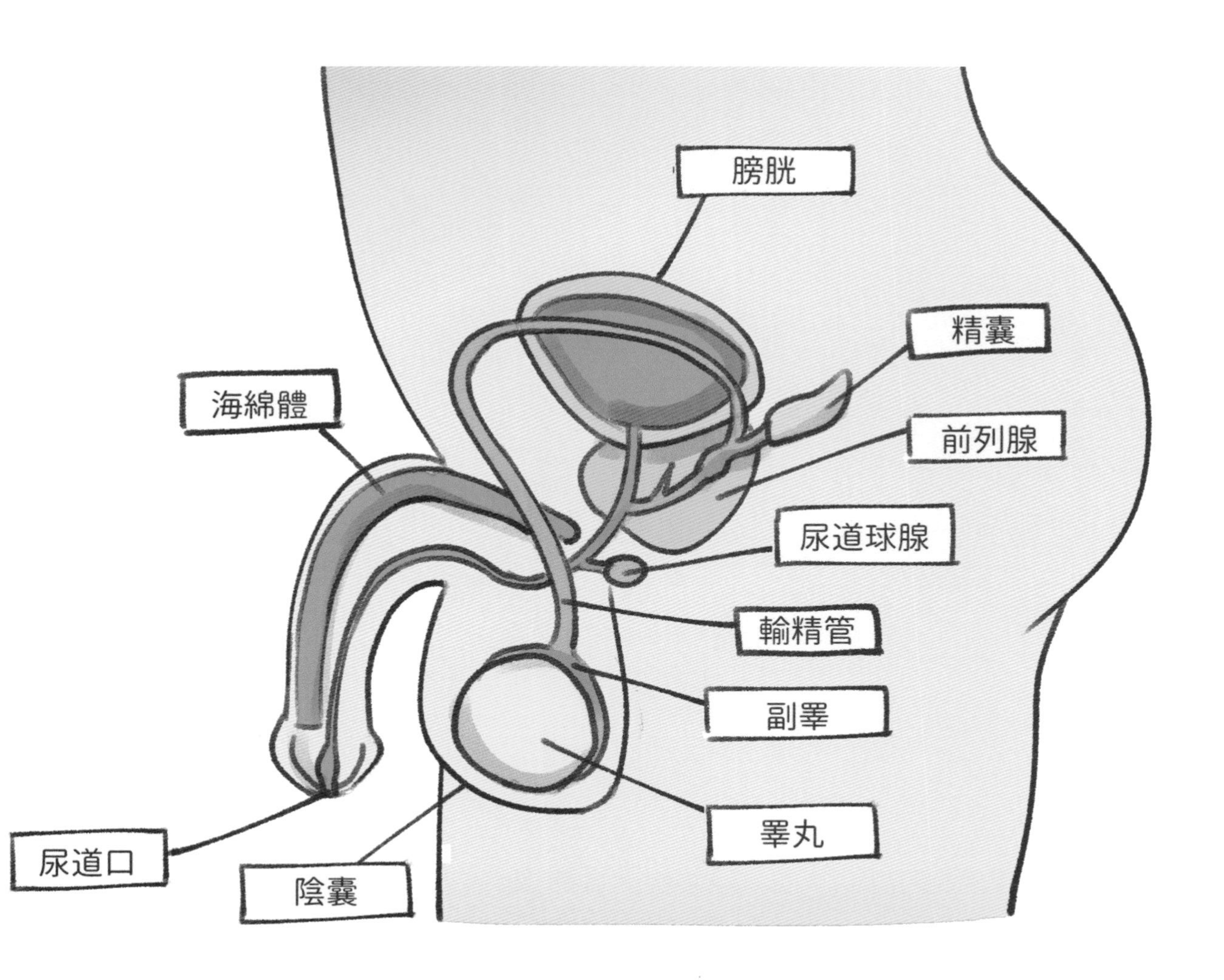

男性的內生殖器有睪丸、副睪、輸精管、精囊、前列腺以及尿道球腺。睪丸是製造精子的器官，製造出來的精子會存放在副睪。精囊、前列腺以及尿道球腺所產生的液體會形成精液一部分，當中所含的果糖會提供精子營養與促進精子活動力。

❸長大過程中，男生與女生身體的變化？

隨著年齡增長（男生約九到十四歲之間，女生約八到十三歲之間，仍有個別差異），第二性徵開始發育時，體內的性賀爾濃度會開始升高，身體也會開始產生變化。例如：陰部、陰莖附近會長陰毛；腋下也會開始長腋毛。但，每個人發展速度不同，開始有變化的部位也不一定一樣喔！

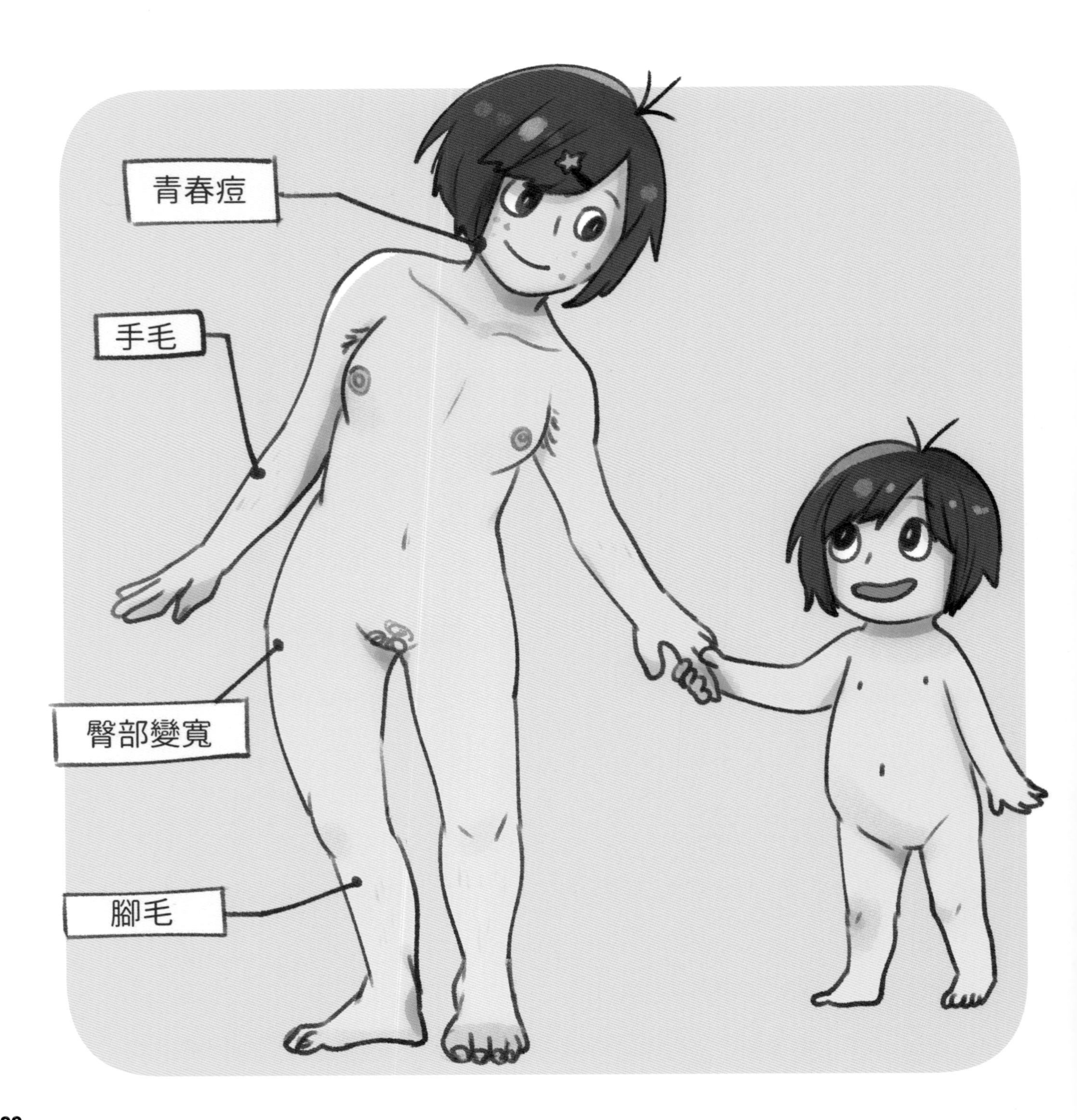

除了體毛的變化外，女生的胸部，包括，乳房及乳頭變得較大。男性的陰莖，長大後，會變得較粗較長，睪丸、陰囊也會變大。此外，青春期開始，身體還會有一些其他的變化，像是有的人開始會長青春痘，或是說話的聲音也會開始有一些不同。

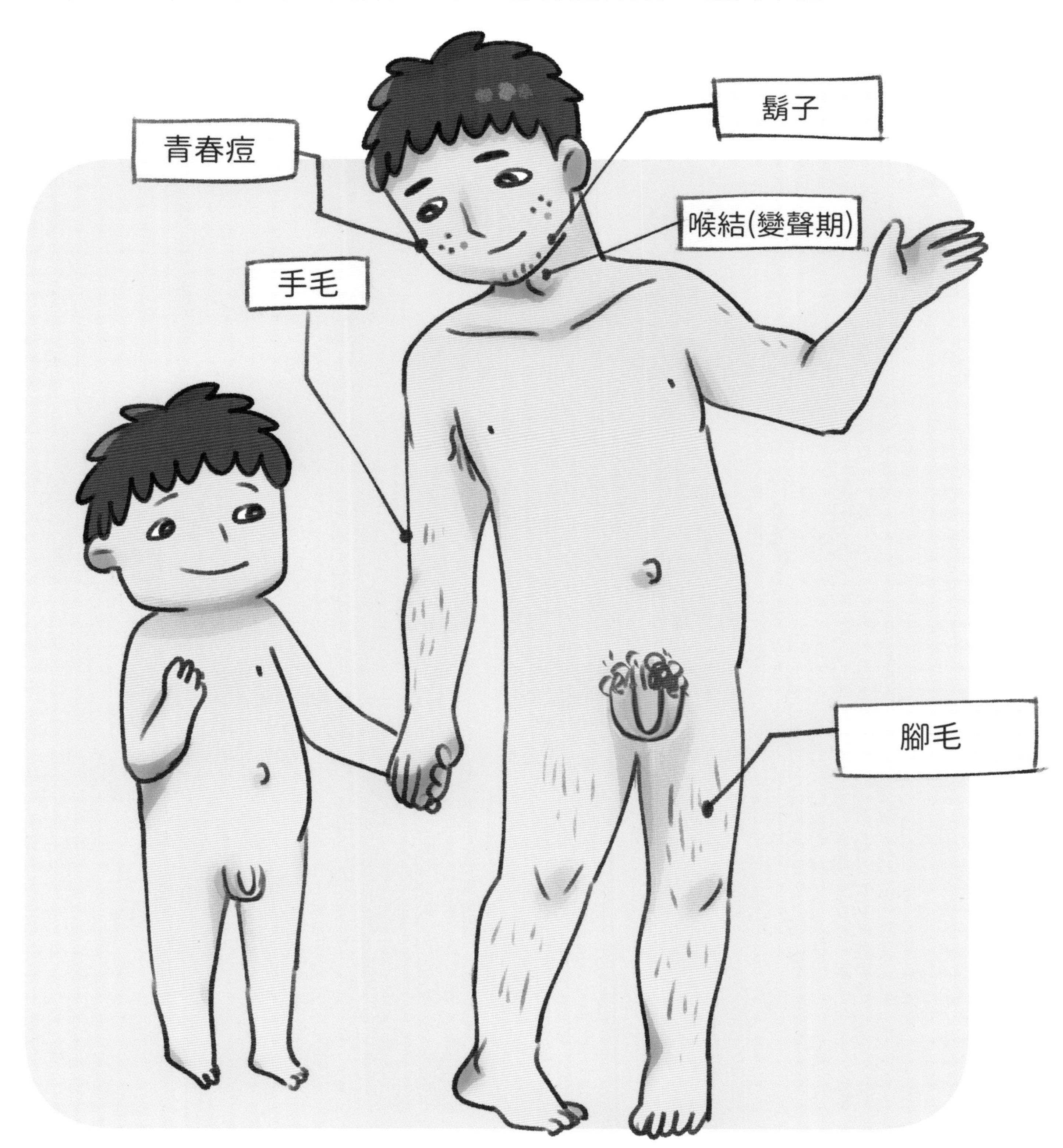

❹小男生轉大人

「夢遺」現象

男生進入青春期後，睪丸每天所製造的精子，與前列腺和精囊所分泌液體混合成精液，若在睡夢中不自覺的將精液由尿道排出體外，就叫做「夢遺」或稱「遺精」，每一次夢遺的量約 3-5cc，夢遺的大小約 5-10 元硬幣。夢遺是男性青春期常見的正常生理現象。

❺小女生轉大人

「月經」週期

女生青春期開始，就代表身體逐漸發育成熟，卵巢中的濾泡每個月會排出成熟的卵子，此時雌激素增多會促使子宮內膜慢慢增厚，這裡是準備迎接受精卵，孕育胎兒的地方。如果沒有受精卵著床子宮，增厚的子宮內膜就會脫落形成經血，並經由陰道流出體外，稱之為月經（期）或生理期，大約持續 3-7 天。

第一次月經通常在 10-16 歲之間出現，稱為初經或初潮，就有生小寶寶的能力了！之後，大部分女生平均 28 天身體就會排出卵子，開始重複子宮內膜增厚、沒有懷孕子宮內膜脫落形成月經，每個月重複這樣的過程稱為月經週期。當經血排出體外的時候，看起來很像是流血，但，這跟受傷的流血不一樣喔！

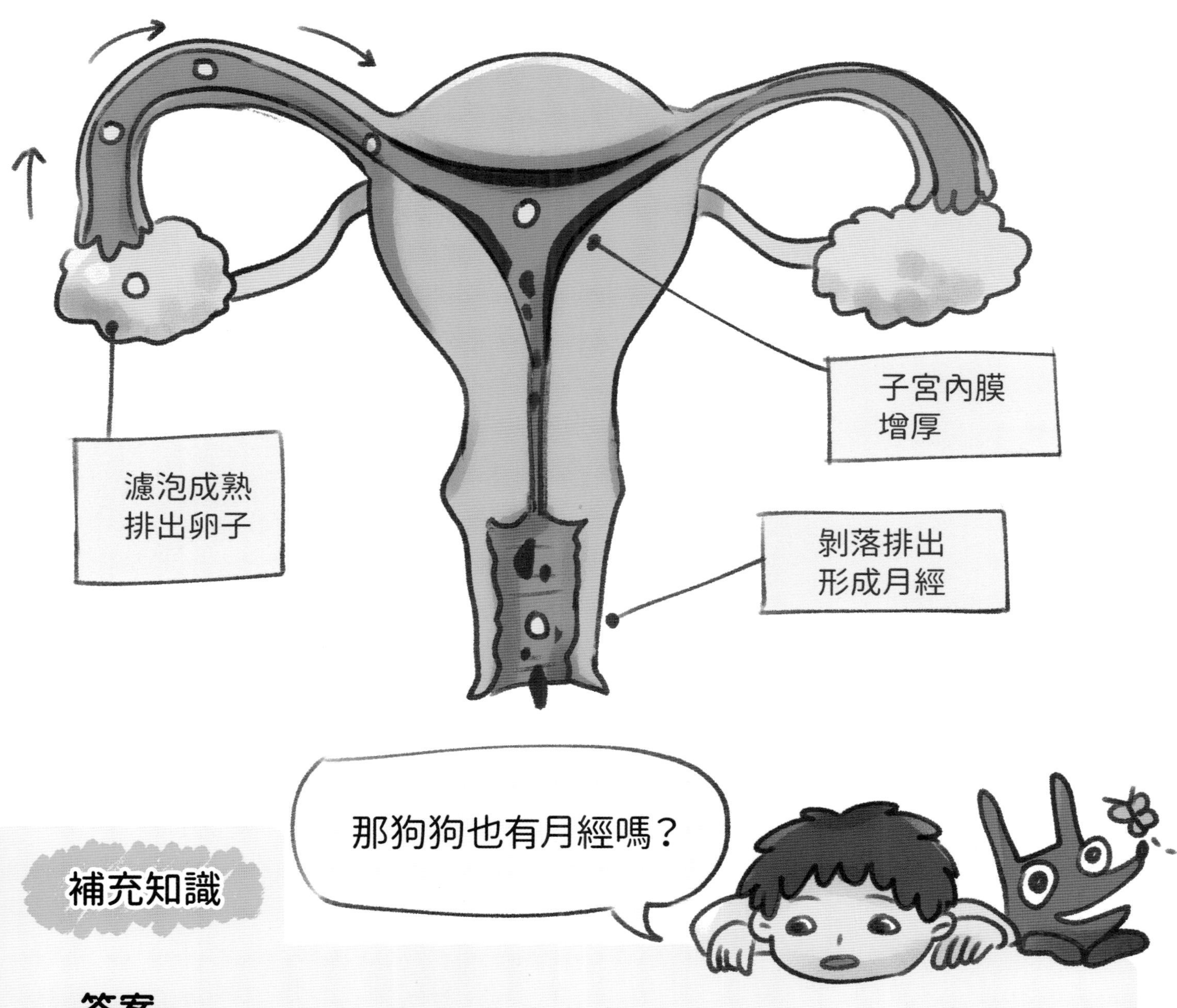

補充知識

答案

狗沒有月經。母狗在準備做交配前的陰部會腫脹，導致微血管破裂，引發少量的出血，是發情期的一個常見的生理現象，看上去類似人類的月經現象。另外，貓也沒有生理期喔！

❻生理期常見的衛生用品

衛生棉、衛生棉條、月亮杯

衛生棉、衛生棉條和月亮杯都是生理期所使用的衛生用品，主要是承接及吸收經血。以上每一種的使用方法有些不同，衛生棉是貼在內褲上，而衛生棉條及月亮杯則是放入陰道中。

衛生棉

大多是長方形，主要是棉、不織布、紙漿和高分子聚合物（吸收體）等組成。使用方式是黏貼在內褲上吸收經血。因每人每日的流量不同，可以依需要挑選適合的尺寸大小（22-40 公分）。

布衛生棉

因衛生棉無法重複使用與回收，會造成環境污染；布衛生棉外層用防水布製作，內層多用棉布，可以清洗後重複使用，較為環保。

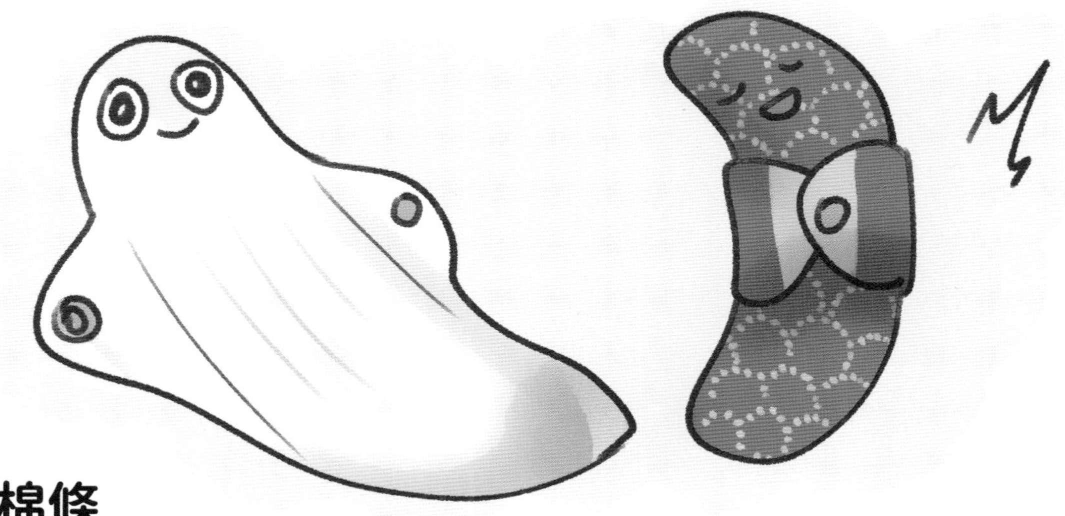

衛生棉條

長條形物品，主要是由棉、人造纖維或兩者混合組成，使用方式是放入陰道吸收經血。

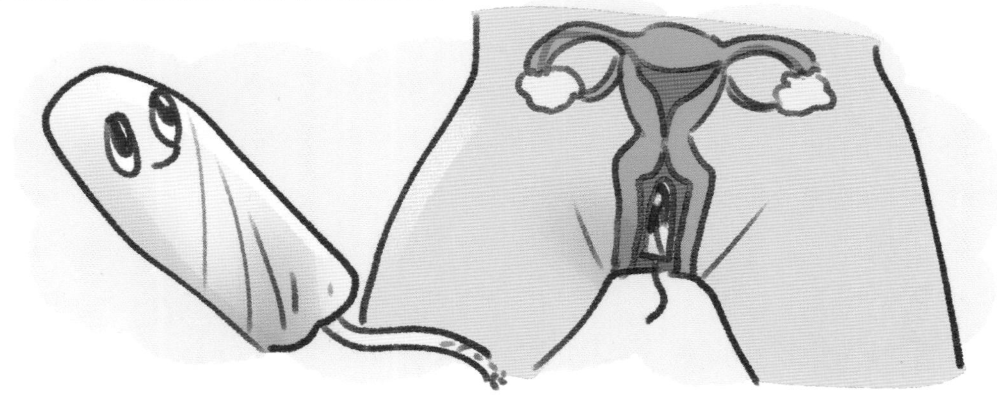

月亮杯

由矽膠、乳膠或熱塑膠製作，形狀像鐘型，放在陰道內收集由子宮流出的經血，能重複使用時效更長，更環保。

親子實驗課

「衛生棉小教室」

大人可以與孩子進行小實驗，認識衛生棉吸水功能。

時間：30 分鐘

材料

❶ 衛生棉（日用、夜用、護墊）或棉條數個
❷ 剪刀一把
❸ 30ml ～ 50ml 的小量杯，可以呈現 cc 數
❹ 紅色墨汁（滴入水中，仿經血顏色）或由孩子決定想要的顏色。

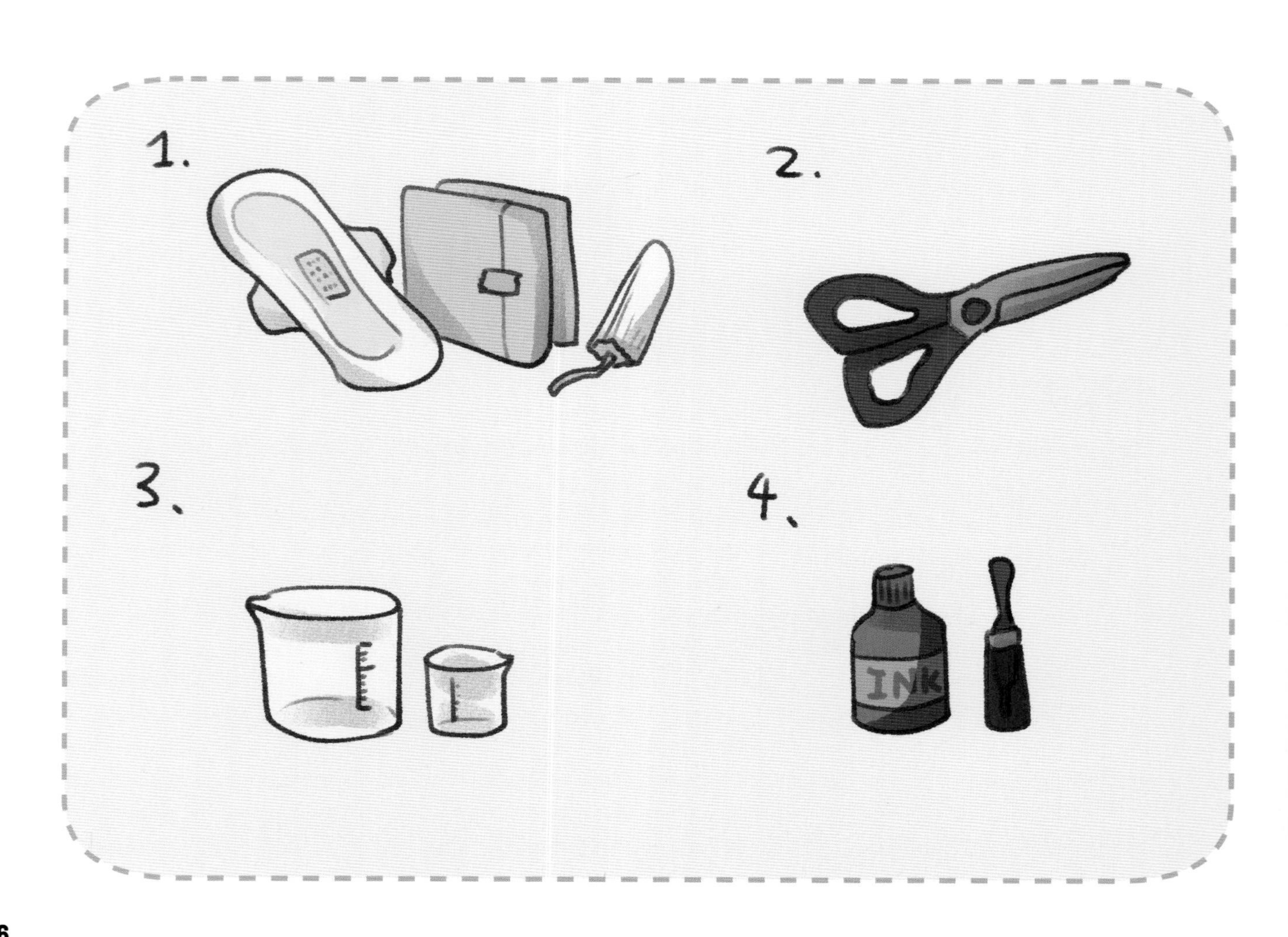

方法

❶ 先介紹你所挑選的衛生棉種類，幫助孩子了解使用時機。

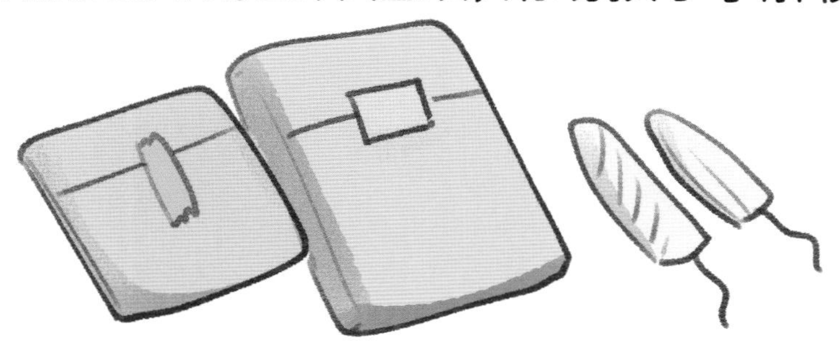

❷挑選一片衛生棉打開，先讓孩子觸碰材質。

❸ 將準備好的有顏色的水，慢慢倒入衛生棉，可以先嘗試 5cc，再慢慢增加到 10cc、15cc，觀察衛生棉表面變化與觸碰吸水後的表層。

❹ 用剪刀把有吸水和沒有吸水的衛生棉剪開，觸碰裡面材質，並比較兩個差異。吸過水的衛生棉，會摸到一顆一顆的高分子吸收體，高分子吸收體可以吸收比原本重 100-200 倍的，讓水（經血）不會外流。

進行方式

帶著輕鬆愉快的心情，親子一起動手做實驗。

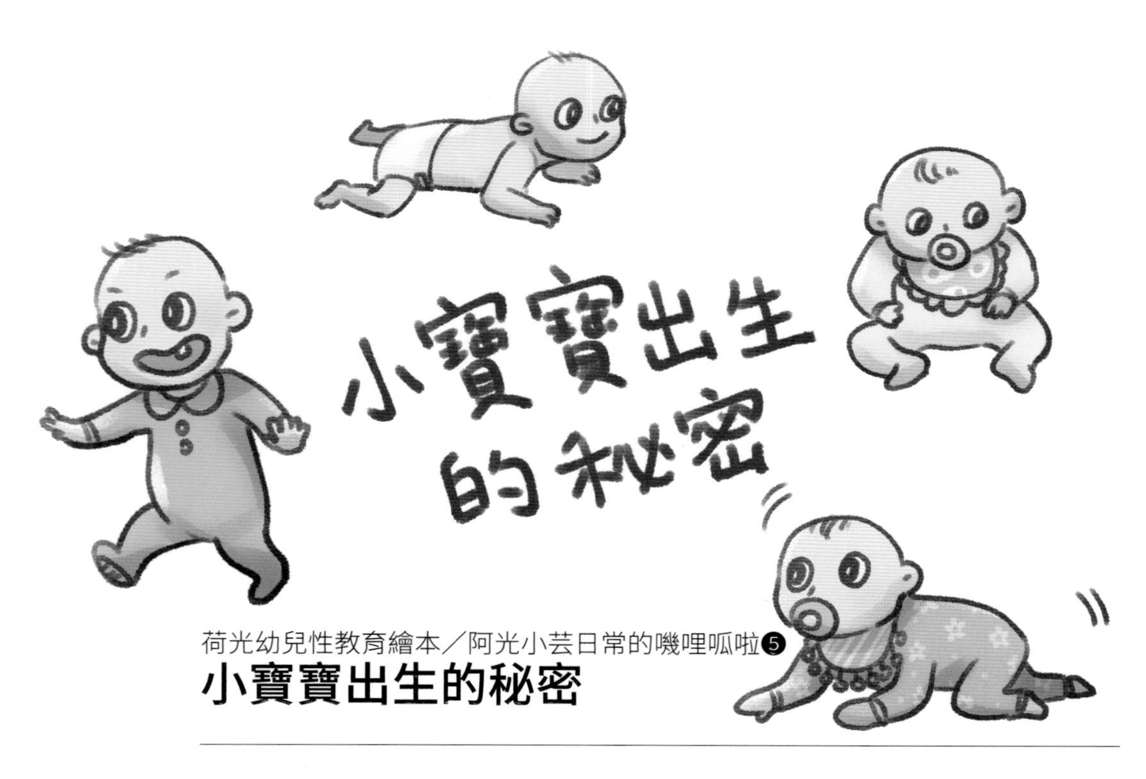

荷光幼兒性教育繪本／阿光小芸日常的嘰哩呱啦❺

小寶寶出生的秘密

總策畫：呂嘉惠
作者：王嘉琪、陳姿曄、楊舒聿（依筆劃順序排列）
繪圖：享畫有限公司
美術編輯：邵信成
文字編輯：林沛辰、陳美如

發行人：呂嘉惠
出版者：荷光性諮商專業訓練中心
電話：02-2918-1060
地址：新北市新店區中華路60巷2弄3號3樓
荷光官網：http://www.beone.tw/
出版日期：2022年2月／初版二刷／2000套
印刷：上海印刷廠股份有限公司／02-22697921~3
ISBN：978-986-99512-5-8（精裝）
定價：390元（全套定價：1950元）

Printed in Taiwan